L'INFORMATION ESSENTIELLE

DANS CHAQUE CHAPITRE
SE DÉTACHE UN TEXTE COURT
COMPOSÉ EN MAJUSCULES,
QUI MET EN RELIEF UNE IDÉE
ET FOURNIT UNE INFORMATION
IMPORTANTE POUR LA
COMPRÉHENSION DU SUJET.
IL SERT AUSSI D'INTRODUCTION
AUX LÉGENDES DE TOUTES
LES ILLUSTRATIONS
DE LA DOUBLE PAGE.

La teinture des étoffes
Les pigments qui coloraient
les bains de teinture étaient obtenus
à partir de plantes, de substances
minérales et même d'insectes.

L'ILLUSTRATION PRINCIPALE

Chaque chapitre est complété
par un ou plusieurs dessins
en couleurs et des
photographies illustrant
l'évolution des technologies
à travers les époques
et les civilisations.

L'ASTRONOMIE
Fondé sur les phases
de la Lune, le calendrier
musulman comportait
354 jours, 8 heures et
48 minutes. Il était divisé
en douze périodes de 29 ou
de 30 jours. Mais leur vision
de l'univers était celle des
Grecs, avec une Terre immobile,
autour de laquelle tournent
Soleil et planètes.

Une horloge à eau très complexe
Ce dessin ornant un manuscrit du XIIIe siècle
montre que les Arabes avaient su perfectionner
la simple clepsydre des Égyptiens et des Grecs.

17

UNE PETITE HISTOIRE

Pour chaque chapitre, un petit
texte encadré par un filet et
illustré par une navette spatiale,
raconte une histoire en rapport
avec le sujet général de
la double page.

LES GRANDES INVENTIONS

Éditions du Korrigan

DoGi

Une production DoGi Spa,
Florence, Italie
TITRE ORIGINAL : L'uomo e la tecnologia
ÉDITEUR : Andrea Bachini, Leonardo Cappellini
TEXTE : Bernardo Rogora
ILLUSTRATIONS : Studio Inklink Florence, Sergio
MAQUETTE : Sebastiano Ranchetti
MISE EN PAGES : Andrea Bachini

POUR L'ÉDITION FRANÇAISE
RÉALISATION : Atelier Gérard Finel, Paris
MISE EN PAGES : Michèle Delagneau
TRADUCTION/ADAPTATION : Michèle Delagneau

© 2001 DoGi spa, Italie
© 2001 Maxi-Livres Éditions,
pour l'édition française

ISBN 2-7434-1787-0
Imprimé en Italie

RÉFÉRENCES DES ILLUSTRATIONS

Les illustrations contenues dans cet ouvrage
ont été conçues et réalisées pour DoGi spa,
qui en possède les droits.
Abréviations : h, en haut ; b, en bas ; c, au centre ;
d, à droite ; g, à gauche.

Illustrations

Giorgio Bacchin 26 c, 34 bg, 41 bd ; Fausto Bianchi
16-17 h, 24-25 b ; Simone Boni 23 h, 28-29 b ; Simone
Boni-L.R. Galante 29 bd ; Lorenzo Cecchi 31 b, 36 bg ;
Adriano Ciuffetti (planisphère p. 39) ; Mario Cossu
26 b ; Archivio DoGi, Florence 6 hd, 6 c, 21 cg, 29 hd ;
Paolo Donati 9 hd ; L.R. Galante-Manuela Cappon
29 hg ; Giacinto Gaudenzi 6 hg, 12-13 b, 15 bd ; Studio
Caba 8 hg, 8-9 c ; Studio Inklink, Florence 10-11, 12 h,
13 hg, 13 c, 14, 15 h, 18 b, 19 hd, 20 hd, 21 hg 22 h,
24 hd, 31 hg, 41 hd ; Alessandro Menchi 7 cd, 9 bd,
27 b, 33 cd ; Alessandro Poluzzi 20 b ; Sebastiano
Ranchetti 18 hd ; Claudia Saraceni 21 hd ; Sergio 7 h,
7 b, 25 c, 25 hd, 27 h, 32 b, 32-33 c, 34-35 h, 35 bd ;
Giacomo Soriani 16 bg ; Ivan Stalio 37 bd, 38-39 b,
40 bg ; Studio Stalio/Alessandro Cantucci 30 b, 31 hd ;
Thomas Troyer 19 bd, 21 bd. Illustrations astronautes
et navettes : Inklink. Frise « Au fil du temps » : Giacinto
Gaudenzi. Frise « Les applications » : Gianpaolo
Faleschini. Couverture : Giacinto Gaudenzi.

Photographies et documents

L'éditeur s'est efforcé de retrouver tous
les ayants droit. Il présente ses excuses
pour les erreurs ou les oublis éventuels
et sera heureux d'apporter les corrections
nécessaires dans les éditions ultérieures
de cet ouvrage.

A.C. Cooper 37 hd ; Apple 39 cg ; Archivio DoGi,
Florence 22 bd, 27 cd, 29 hd ; Archivio Igda,
Milan 17 bd ; David Sharf 38 bg ; Éd. d'Art, Paris 1950
36 hd ; Photo NASA 33 b ; Museo di Storia della
scienza, Florence 23 bd ; Robert Hunt Library, Londres
35 hd ; The National Maritime Museum, Greenwich,
Londres 17 bg ; The Stock Market/Rossotto 33 h ;
The Stock Market/Tom Stewart 39 hd ; Ullstein
Bilderdienst, Berlin 35 cg. Couverture : Photo NASA
c ; Museo di Storia della scienza, Florence cd

Images de synthèse

Sansai Zappini 41 hg
Frise « De nos jours » : Bernardo Mannucci
Frise « Le monde » : Sebastiano Ranchetti

Sommaire

Thèmes

 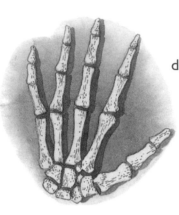

Les silex taillés

La technique qui consiste à détacher des éclats d'un bloc de silex, remonte à 2,5 millions d'années environ. Servant à la fois à broyer et à trancher, les outils ainsi obtenus – simples ou bifaces – sont les plus anciens objets manufacturés connus.

Le pouce opposable

La fabrication d'outils a été possible dès que les grands singes et leurs cousins les hominidés (l'homme et ses ancêtres) se sont tenus debout, libérant ainsi leurs mains. En outre, un pouce opposable aux quatre autres doigts leur a permis de manipuler des objets, de rompre, de broyer, de percer…

L'ÂGE DE LA PIERRE TAILLÉE

Nos ancêtres les hominidés se sont longtemps contentés de ce que la nature leur offrait, sans l'aide d'aucun moyen technique. Les premiers outils, utilisés par les australopithèques qui vivaient en Afrique il y a environ 4 millions d'années, étaient des objets bruts, tels que des bâtons ou des pierres. L'idée de transformer les matériaux naturels allait faire lentement son chemin, jusqu'à l'avènement de l'*Homo habilis*, c'est-à-dire l'homme apte à travailler de ses mains, première espèce du genre humain proprement dit (il y a 2,5 à 1,8 millions d'années). L'*Homo erectus* (de 1,5 million d'années à moins de 400 000 ans avant notre ère), qui vivait en Afrique et en Europe, fut le premier chasseur et domestiqua le feu. La voie était ouverte vers l'*Homo sapiens*, notre ancêtre direct, apparu entre 400 000 et 500 000 ans.

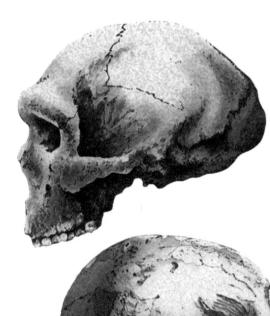

L'évolution du crâne

Le constant développement du cerveau humain a entraîné des modifications de la forme du crâne. En haut, un crâne d'*Homo sapiens* archaïque ; en bas, le crâne de l'un de ses descendants modernes : on remarquera la disparition de l'épais bourrelet de l'arcade sourcilière.

La fabrication d'une pointe de lance

Au Paléolithique supérieur, voici quelque 35 000 ans, la technique de la pierre taillée s'est perfectionnée : du biface à tout faire, on passe à des outils très diversifiés.

LE MOINDRE ÉCLAT DE PIERRE TAILLÉE EST PRÉCIEUX POUR LE PALÉOANTHROPOLOGUE, QUI RECONSTITUE LES ÉTAPES DE L'ÉVOLUTION HUMAINE. LES OSSEMENTS FOSSILES D'ANIMAUX, DÉCOUVERTS SUR LES SITES PRÉHISTORIQUES, LE RENSEIGNENT ÉGALEMENT SUR LES MÉTHODES DE CHASSE ET LES GIBIERS FAVORIS DE NOS LOINTAINS ANCÊTRES.

3. Une taille plus précise, par tout petits éclats, aiguise les bords.

1. Le gros bloc de pierre est débité en « tranches ».

2. La forme est d'abord dégrossie.

4. La lame est enfin fixée à un manche en bois par une ligature en boyau.

Des chasseurs vêtus de peaux de bêtes

Après les dernières grandes glaciations, il y a environ 10 000 ans, les habitants de l'Europe vivaient surtout de la chasse. Ils avaient déjà domestiqué le chien.

LE LANGAGE ARTICULÉ
Le larynx humain, placé plus bas que celui des autres mammifères, a permis le développement du langage articulé. La supériorité de l'*Homo sapiens* est liée à sa capacité d'émettre 25 sons par seconde. Grâce au langage, les innovations techniques ont pu se diffuser rapidement.

Premières parures
Des perles de pierres, des coquillages, des os et des dents étaient utilisés comme parure.

De la chasse et de la cueillette à l'agriculture
C'est en observant comment les graines dispersées par le vent donnaient naissance à de nouvelles plantes qu'est venue peu à peu l'idée de les recueillir, puis de les semer.

LE NÉOLITHIQUE

L'essor de l'agriculture et la domestication des animaux allaient profondément modifier le mode de vie des communautés humaines. La nourriture devenait plus abondante, les naissances augmentaient, et l'homme voyait son travail rythmé par le déroulement des saisons. Pendant des millénaires – et jusqu'à une époque récente –, l'agriculture occupera la majeure partie des populations. Dans le même temps, les activités artisanales – comme la poterie – se développent pour fournir les outils et les ustensiles nécessaires. Cette première révolution technologique coïncide avec la période appelée Néolithique, ou encore âge des pierres levées, car ce fut aussi l'ère des dolmens, des menhirs et des alignements de pierres dressées.

LE CLIMAT PLUS DOUX QUI A SUCCÉDÉ AUX GRANDES GLACIATIONS A FAVORISÉ DE NOUVEAUX CYCLES DE VÉGÉTATION. C'EST AINSI QUE L'AGRICULTURE EST NÉE AU MOYEN-ORIENT, DANS LES VALLÉES FERTILES DE LA MÉSOPOTAMIE, BERCEAU DES PREMIÈRES CITÉS ET DES PREMIÈRES GRANDES CIVILISATIONS.

Premiers potiers

Apparue il y a environ
9 000 ans au Moyen-Orient,
la poterie se répandit sur tous
les continents, car la matière
première, l'argile, y était
extrêmement abondante.

LA CONSTRUCTION DES PYRAMIDES D'ÉGYPTE
Taillés à même la roche, les énormes blocs
de pierre étaient placés sur des rouleaux
de bois, puis hissés au moyen de cordes
le long de plans inclinés en terre battue,
élevés en même temps que la construction.

Techniques agricoles « de pointe » en Mésopotamie

Le mot Mésopotamie vient du grec et signifie « au milieu des
fleuves ». Ces terres rendues fertiles par les alluvions (dépôts
laissés par les crues des fleuves) ont vu naître les premières
techniques rationnelles d'agriculture. C'est également là
qu'est apparue l'araire, ancêtre de la charrue, qui traçait
dans le sol meuble des sillons superficiels servant à la fois
à l'irrigation et aux semis.

Décorations révélatrices

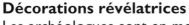

Les archéologues sont en mesure
d'établir la provenance et la date
des poteries d'après le style
des décorations faites avant
et après la cuisson.

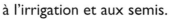

LA MÉTALLURGIE

Vers la fin du Néolithique, l'art de la vannerie et de la poterie atteint un grand degré de raffinement, de même que le travail du bois et de l'os. Mais l'apparition des premiers objets en métal va faire entrer l'humanité dans son premier âge industriel. On a appelé Chalcolithique cette période de transition où la pierre polie coexiste avec la métallurgie du cuivre. Les armes en bronze, métal plus dur obtenu par alliage du cuivre et de l'étain, donneront ensuite une supériorité militaire aux peuples indo-européens venus du centre de l'Asie : ils coloniseront toute l'Europe et se mélangeront aux populations qui y vivaient déjà.

L'APPARITION DES PREMIERS OBJETS EN CUIVRE MARQUE LA FIN DU NÉOLITHIQUE : C'EST LA PÉRIODE APPELÉE CHALCOLITHIQUE. L'ÂGE DU BRONZE, AU IIIᵉ MILLÉNAIRE AVANT NOTRE ÈRE, COÏNCIDERA AVEC LA FONDATION DES PREMIERS GRANDS EMPIRES : LA PRÉHISTOIRE S'ACHÈVE ET NOUS ENTRONS DANS L'HISTOIRE. MILLE ANS PLUS TARD, L'ÂGE DU FER CORRESPOND À LA MIGRATION DES PEUPLES CELTES, DE L'ASIE À L'EUROPE OCCIDENTALE.

La fonte d'une statue en bronze
Le sculpteur réalise d'abord un modèle en cire, qui est entouré d'argile. Après cuisson, celle-ci forme une enveloppe creuse rigide, tandis que la cire liquéfiée s'élimine. On coule alors le bronze fondu dans ce moule, qui sera cassé après refroidissement. Cette méthode, dite de la cire perdue, est encore employée aujourd'hui.

1. Modelage de la statue en cire

2. Moule

3. Le bronze en fusion est coulé dans le moule.

4. Le moule est brisé pour dégager la statue.

La roue, qui allait jouer un rôle si important dans le développement des civilisations, est probablement apparue à Sumer (actuel Iran), vers 3500 avant notre ère ; mais il faudra attendre près de 2000 ans pour qu'elle se répande en Égypte, et la Grèce ne l'adoptera que 1000 ans plus tard.

Le cuivre

La première industrie métallurgique a été celle du cuivre. Ce métal au bel éclat rouge est facile à façonner et à marteler. On l'obtient en chauffant du minerai à une température voisine de 1300 °C à l'intérieur d'un four.

5. Les finitions : nettoyage et polissage.

Les ancêtres des hauts-fourneaux

Des couches alternées de minerai de fer et de charbon sont disposées dans des cheminées en briques ventilées par en dessous pour activer la chaleur. Puis, on abat une paroi pour récupérer les blocs de fer encore spongieux, ou loupes, qu'il faudra battre au marteau pour en éliminer les impuretés.

La baliste
Inventée par le Grec Archimède au IIIe siècle avant notre ère, la baliste était une sorte d'arbalète géante, qui lançait des projectiles enflammés ou d'énormes flèches. Né à Syracuse, dans la colonie sicilienne de la Grande-Grèce, Archimède découvrit quelques-unes des lois physiques fondamentales, comme le principe du levier ou les lois de l'hydrostatique (poussées exercées par les liquides sur les corps immergés).

LE FER NE FOURNISSAIT PAS SEULEMENT DES ARMES PLUS SOLIDES, MAIS PERMETTAIT AUSSI DE FABRIQUER DES OUTILS AGRICOLES BEAUCOUP PLUS EFFICACES : C'EST CE QUI A PERMIS DE METTRE EN CULTURE LES TERRES PLUS ARIDES DU BASSIN MÉDITERRANÉEN, MOINS FACILES À LABOURER QUE LES ALLUVIONS FERTILES DES VALLÉES. CONFIÉS AUX ESCLAVES, LES TRAVAUX DES CHAMPS SONT DEVENUS UNE SOURCE DE RICHESSE POUR UNE CLASSE DE PRIVILÉGIÉS. AINSI S'EST MISE EN PLACE UNE CIVILISATION FONDÉE SUR LA GRANDE PROPRIÉTÉ TERRIENNE.

LE MONDE ANTIQUE

Au cours du Ier millénaire avant notre ère, la civilisation gréco-romaine va briller d'un éclat inégalé, et nous vivons toujours sur son héritage. Davantage attirés par la philosophie et les raisonnements intellectuels que par les applications concrètes, les Grecs découvrirent presque toutes les lois scientifiques fondamentales, mais s'intéressèrent finalement assez peu à leur mise en pratique. Imprégnés de culture hellénistique, comme tous les peuples du bassin méditerranéen, les Romains ont en revanche été des ingénieurs et des urbanistes remarquables. À l'aube de l'ère chrétienne, ils érigeaient leurs monuments publics, temples, ponts, viaducs et routes dans les deux tiers de l'Europe, le Moyen-Orient et une partie de l'Afrique du Nord.

De grands bâtisseurs
Remarquables administrateurs, les Romains ont été aussi de grands bâtisseurs : on leur doit, entre autres, la voûte semi-circulaire, dite « en plein cintre », qui sera au Moyen Âge appelée « romane », et le toit en coupole.

Euclide

Au IIIe siècle avant notre ère, Euclide basa ses démonstrations non plus sur la seule observation des phénomènes naturels, mais sur la logique et la rigueur du raisonnement, en vérifiant les résultats à l'aide de la règle, du compas et de l'équerre. Les théorèmes formulés dans ses *Éléments* de géométrie allaient rester incontestés pendant deux mille ans…

LA MÉDECINE

Au Ve siècle avant notre ère, le Grec Hippocrate a posé les bases d'une médecine moderne, détachée des pratiques magiques et religieuses, qui recourt à la dissection pour étudier le fonctionnement du corps humain.

Les voies romaines

Tracées d'abord pour des raisons militaires, afin de mieux contrôler les pays conquis, les voies romaines couvraient un immense réseau. Elles étaient si solidement empierrées qu'elles ont traversé les siècles. Certaines portions sont toujours en bon état aujourd'hui.

L'EMPIRE CHINOIS

Bien avant l'émergence du monde gréco-romain, une grande civilisation avait vu le jour en Extrême-Orient. Comme l'Égypte ancienne, la Chine devait sa première prospérité à l'essor de l'agriculture. Au IIe millénaire avant notre ère, un système perfectionné de digues et de canaux d'irrigation avait en effet permis la mise en valeur de l'immense bassin fertilisé par les crues du fleuve Jaune, l'un des plus longs cours d'eau asiatiques. La stabilité d'un État centralisé, doté d'une solide structure administrative, va alors favoriser le développement de l'artisanat et des manufactures. Les étoffes de soie chinoises sont alors particulièrement réputées. Mais c'est dans tous les domaines que les Chinois, à qui l'on doit de multiples inventions, font preuve de leur supériorité technologique. Ils ont, par exemple, construit des hauts-fourneaux plusieurs siècles avant les Européens.

La boussole
La principe de la boussole fut découvert en Chine au IIe siècle de notre ère. On avait en effet constaté qu'une aiguille aimantée tournant librement sur un pivot finissait toujours par s'orienter selon un axe nord-sud. Dans les premières boussoles, cette aiguille aimantée flottait tout simplement à la surface d'un liquide. On utilisa aussi une sorte de cuillère en magnétite (oxyde de fer naturellement aimanté), dont le manche indiquait le sud.

Armes chimiques...
Au IVe siècle avant notre ère, les Chinois enduisaient la pointe de leurs flèches de produits toxiques (laque, arsenic, oxyde de plomb, etc.) enrobés de résine ou de cire.

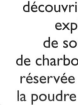

L'invention de la poudre
Au IXe siècle, les Chinois découvrirent les propriétés explosives du mélange de soufre, de salpêtre et de charbon de bois : d'abord réservée aux feux d'artifice, la poudre fut ensuite utilisée dans des bombes explosives.

MALGRÉ LES ÉCHANGES COMMERCIAUX QUI AVAIENT LIEU PAR LA LÉGENDAIRE « ROUTE DE LA SOIE », LE DÉVELOPPEMENT TECHNOLOGIQUE A SUIVI DES VOIES SÉPARÉES EN EXTRÊME-ORIENT ET EN OCCIDENT. LONGTEMPS À L'AVANT-GARDE POUR CE QUI CONCERNE LES INVENTIONS, LA CHINE SE FIGEA DANS L'ISOLEMENT AU XVᵉ SIÈCLE, SOUS LA DYNASTIE DES EMPEREURS MING, ALORS MÊME QUE L'EUROPE ENTRAIT DANS LES TEMPS MODERNES.

LE SECRET DE LA SOIE
Le déroulage des cocons et l'embobinage des fils de soie sont des opérations délicates, dont les Chinois ont eu longtemps l'exclusivité. Ce secret de fabrication, jalousement gardé, est parvenu en Europe au XIᵉ siècle.

L'invention du papier

Dès le Iᵉʳ siècle de notre ère, les Chinois fabriquaient du papier avec diverses fibres végétales (dont les feuilles de mûrier blanc). Le premier texte imprimé sur papier daterait de 868.

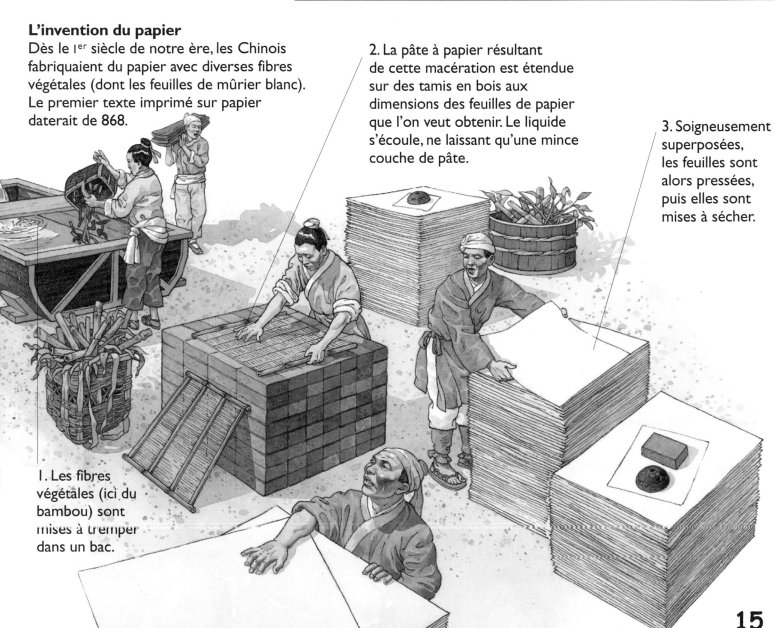

2. La pâte à papier résultant de cette macération est étendue sur des tamis en bois aux dimensions des feuilles de papier que l'on veut obtenir. Le liquide s'écoule, ne laissant qu'une mince couche de pâte.

3. Soigneusement superposées, les feuilles sont alors pressées, puis elles sont mises à sécher.

1. Les fibres végétales (ici du bambou) sont mises à tremper dans un bac.

15

LE RÔLE DE L'ISLAM

À partir du VIIᵉ siècle, tandis que l'Europe entre dans l'âge féodal, c'est le monde islamique (c'est-à-dire l'Arabie, l'Afrique du Nord, le Moyen-Orient et l'Espagne) qui apparaît comme le véritable héritier des grandes civilisations de l'Antiquité. Grâce aux Arabes, et aux Perses, la culture hellénistique se diffusa en Asie centrale et en Inde, et jusqu'en Extrême-Orient... L'Islam a su faire fructifier cet héritage. Dans les domaines de la médecine, de l'astronomie et des mathématiques, les Arabes ont apporté une précieuse contribution, et on peut les considérer comme les fondateurs de l'algèbre et de la chimie, sans parler des instruments de navigation et de mesure du temps qu'ils ont inventés.

DE NOMBREUX TEXTES MAJEURS DE L'ANTIQUITÉ AURAIENT ÉTÉ DÉFINITIVEMENT PERDUS SANS LES ARABES, QUI NOUS ONT TRANSMIS LEURS TRADUCTIONS. ILS ONT ÉGALEMENT INTRODUIT EN EUROPE LE PAPIER, ORIGINAIRE DE CHINE, AINSI QUE LEUR PROPRE SYSTÈME DE CHIFFRES, DITS CHIFFRES ARABES.

La cartographie
Sillonnant sans cesse la Méditerranée, les Arabes avaient peut-être appris des Phéniciens quelques-uns de leurs secrets de navigation. On leur doit en tout cas les premières cartes marines dignes de ce nom, ainsi que la fabrication de l'astrolabe, qui permet de mesurer la hauteur des astres et de calculer les latitudes.

La teinture des étoffes
Les pigments qui coloraient
les bains de teinture étaient obtenus
à partir de plantes, de substances
minérales et même d'insectes.

L'astronomie
Fondé sur les phases
de la Lune, le calendrier
musulman comportait
354 jours, 8 heures et
48 minutes. Il était divisé
en douze périodes de 29 ou
de 30 jours. Mais leur vision
de l'univers était celle des
Grecs, avec une Terre
immobile, autour de laquelle
tournent Soleil et planètes.

Une horloge à eau très complexe
Ce dessin ornant un manuscrit du XIIIe siècle
montre que les Arabes avaient su perfectionner
la simple clepsydre des Égyptiens et des Grecs.

LA RÉVOLUTION AGRICOLE

Tandis que les empires d'Asie étaient particulièrement florissants, l'Europe connut une phase de régression après la chute de l'Empire romain d'Occident au début du Vᵉ siècle. L'expansion économique reprit cependant vers le VIIIᵉ siècle. De vastes étendues furent défrichées, fournissant de nouvelles terres cultivables. Dans le même temps, plusieurs progrès décisifs améliorèrent le rendement de l'agriculture : la charrue, qui remplaçait l'araire archaïque, la multiplication des moulins, la rotation sur trois ans des cultures (assolement triennal) et des systèmes d'attelage plus performants pour les bœufs et les chevaux. La production agricole était non seulement suffisante, mais excédentaire : elle pouvait désormais nourrir les villes.

Collier de gorge de l'Antiquité

1

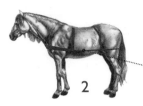

Bricole prenant appui sur la poitrine

2

Collier d'épaule à attelles pour accrocher brides ou brancards

3

Un attelage plus efficace
Plus pratique que le simple collier des Romains (1), qui tend à étrangler le cheval, la bricole (2) et le collier d'épaule à attelles (3) accroissent sa puissance de traction, de même que le joug de garrot pour les bœufs (ci-dessous).

L'amélioration de l'outillage agricole
À la différence de l'araire, la charrue entame le sol à la fois horizontalement (par le soc) et verticalement (par le coutre), tandis que le versoir retourne la motte ainsi découpée. Le labour est alors plus profond, ce qui facilite les semailles et la germination.

L'ESSOR DE L'AGRICULTURE MÉDIÉVALE EST LIÉ AUX GRANDS DÉFRICHEMENTS. LES MONASTÈRES JOUÈRENT UN RÔLE IMPORTANT DANS LA MISE EN VALEUR DES NOUVELLES TERRES, ET LEURS MÉTHODES DE CULTURE SERVIRENT DE MODÈLE, TANDIS QUE LES SEIGNEURS FÉODAUX S'INTÉRESSAIENT BIEN PLUS À LA GUERRE ET À LA CHASSE QU'AUX TRAVAUX DES CHAMPS, LAISSÉS À LA CHARGE DES SERFS.

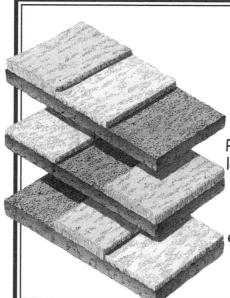

L'ASSOLEMENT TRIENNAL

On savait dès l'Antiquité que les cultures intensives épuisaient les sols. Pour y remédier, on pratiqua la jachère : la mise en repos d'une partie des terres une année sur trois. L'assolement triennal, basé sur une rotation des cultures (une année en blé, une année en légumes, en orge et en avoine et une année en prés) permit d'augmenter le rendement de près de 50 %.

Le moulin à eau

Initialement destiné à moudre le grain, le moulin à eau fut également utilisé pour les premières industries textiles et métallurgiques. Moins aléatoire que l'énergie éolienne (celle des moulins à vent), l'énergie hydraulique allait se substituer au travail des esclaves dans les territoires de l'ancien Empire romain.

SUR LES OCÉANS

Au Moyen Âge, les Européens apprirent des Arabes de nouveaux savoirs en matière de navigation. Les cartes marines, différents instruments d'orientation (dont la boussole magnétique) ainsi que le gouvernail arrière articulé allaient leur permettre de s'aventurer en haute mer. Pour se diriger, ils se fiaient désormais aux calculs mathématiques et non plus à la seule observation du Soleil et des étoiles. Ils pouvaient ainsi naviguer en hiver par temps couvert – et donc entreprendre de longues traversées, au lieu de faire du cabotage (suivre les côtes). L'ère des grands voyages maritimes allait bientôt commencer…

HARDIS NAVIGATEURS, LES VIKINGS SE LANÇAIENT À TRAVERS LES OCÉANS SUR DES BATEAUX DE PETITE TAILLE. MAIS LEURS DRAKKARS ÉTAIENT DES CHEFS-D'ŒUVRE DE CONSTRUCTION NAVALE, TRÈS EN AVANCE SUR LEUR TEMPS AVEC LEURS PLANCHES CINTRÉES FIXÉES PAR DES CLOUS EN BRONZE SUR UNE CHARPENTE EN CHÊNE. ILS ALLÈRENT AINSI JUSQU'EN AMÉRIQUE DU NORD, PLUSIEURS SIÈCLES AVANT CHRISTOPHE COLOMB.

Sous la dynastie des Ming

Au début du XVe siècle, les Chinois entreprirent des expéditions commerciales et militaires à bord de grandes jonques de guerre. Puis, les empereurs Ming interdirent toute relation avec l'étranger et firent même détruire tous les bateaux capables de naviguer en haute mer.

L'aménagement des cales

En couvrant le bateau d'un pont, on pouvait aménager l'intérieur de la coque pour les marchandises.

Navires grecs et romains

Longs et étroits, les vaisseaux de guerre grecs et romains avançaient à la fois à la voile et à la rame. Les birèmes avaient deux rangées de rameurs et les trirèmes en avaient trois.

MOYENS DE DÉFENSE

Les premiers canons se chargeaient par la bouche, ce qui rendait leur maniement malaisé et dangereux. Plus tard, on les chargea par l'arrière, ce qui permit de les installer sur ` les navires. Montés sur des supports mobiles, ils « coulissaient » à travers les orifices de tir (ou sabords) aménagés sur les flancs du bâtiment.

Les galères vénitiennes

Au XIVe siècle, les petits navires de guerre de la République de Venise étaient maniables et rapides, grâce à leurs rangées de rameurs. L'éperon de l'avant servait à défoncer la coque des vaisseaux ennemis.

La caravelle

La hauteur de sa coque lui permettait d'affronter les hautes vagues des océans, et sa voilure importante en faisait un bâtiment rapide quand le vent soufflait.

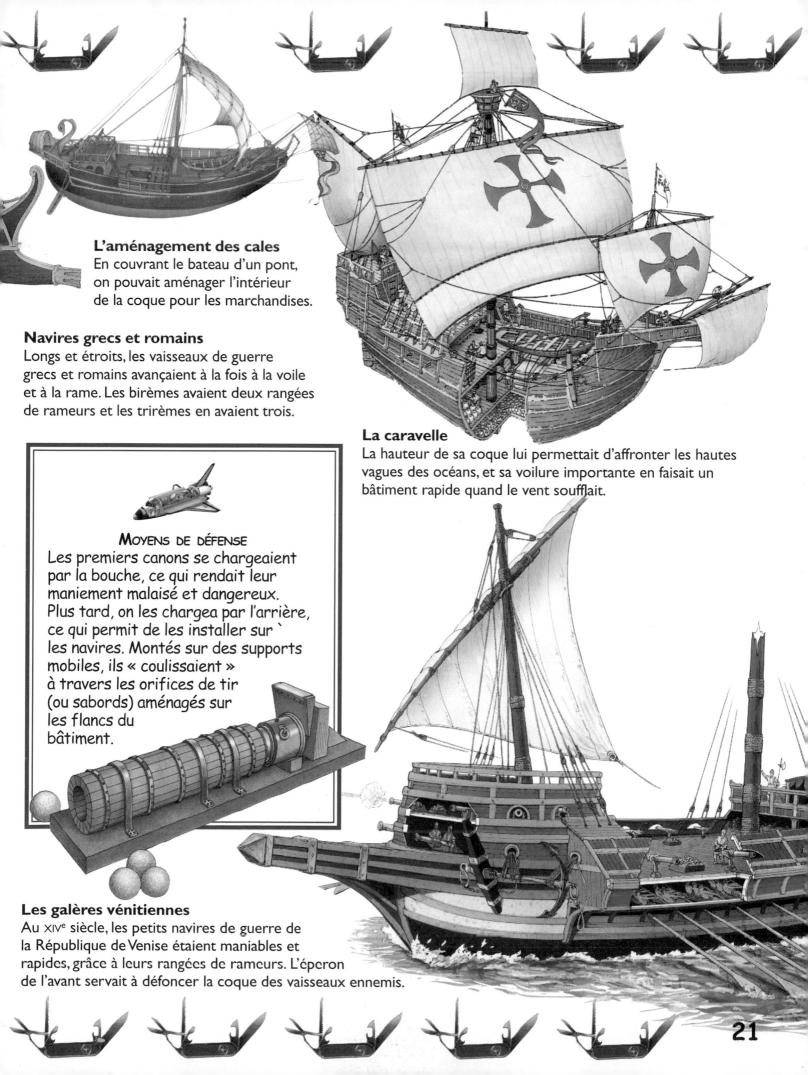

Nouveaux instruments
Vers 1600, des lunettes grossissantes étaient vendues comme une curiosité amusante. Galilée s'en procura et les transforma pour réaliser le premier télescope.

LES TRAVAUX DE COPERNIC, PUBLIÉS DÈS 1540, AVAIENT ÉTÉ CONSIDÉRÉS PAR SES CONTEMPORAINS COMME UN PUR JEU DE L'ESPRIT ET N'AVAIENT GUÈRE FAIT DE BRUIT. TOUT CHANGEA LORSQUE GALILÉE, GRÂCE À SA LUNETTE, PUT VÉRIFIER DE SES YEUX QUE COPERNIC AVAIT RAISON. CONFIRMÉE PAR L'OBSERVATION MÉTHODIQUE, CETTE VÉRITÉ SCIENTIFIQUE NE POUVAIT ÊTRE ACCEPTÉE PAR LES AUTORITÉS RELIGIEUSES, CAR ELLE CONTREDISAIT L'ENSEIGNEMENT DE LA BIBLE. GALILÉE DUT SE RÉTRACTER POUR ÉVITER LES PERSÉCUTIONS.

LA RÉVOLUTION SCIENTIFIQUE

À partir du XVe siècle, l'Europe va être le théâtre d'un prodigieux mouvement de renouveau artistique et intellectuel, connu sous le nom de Renaissance. Se dégageant de la vision religieuse qui était celle du Moyen Âge, l'homme de la Renaissance jette un regard neuf sur lui-même et sur l'Univers, en fondant ses connaissances sur l'expérience et les observations : la méthode scientifique moderne est née. Des disciplines nouvelles voient le jour, comme la géologie et la chimie. Les innovations technologiques sont particulièrement nombreuses à cette époque, la plus importante étant probablement l'imprimerie à caractères mobiles, qui mettra le savoir à la portée du plus grand nombre.

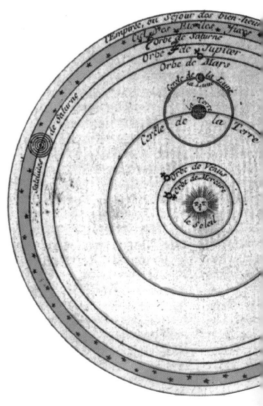

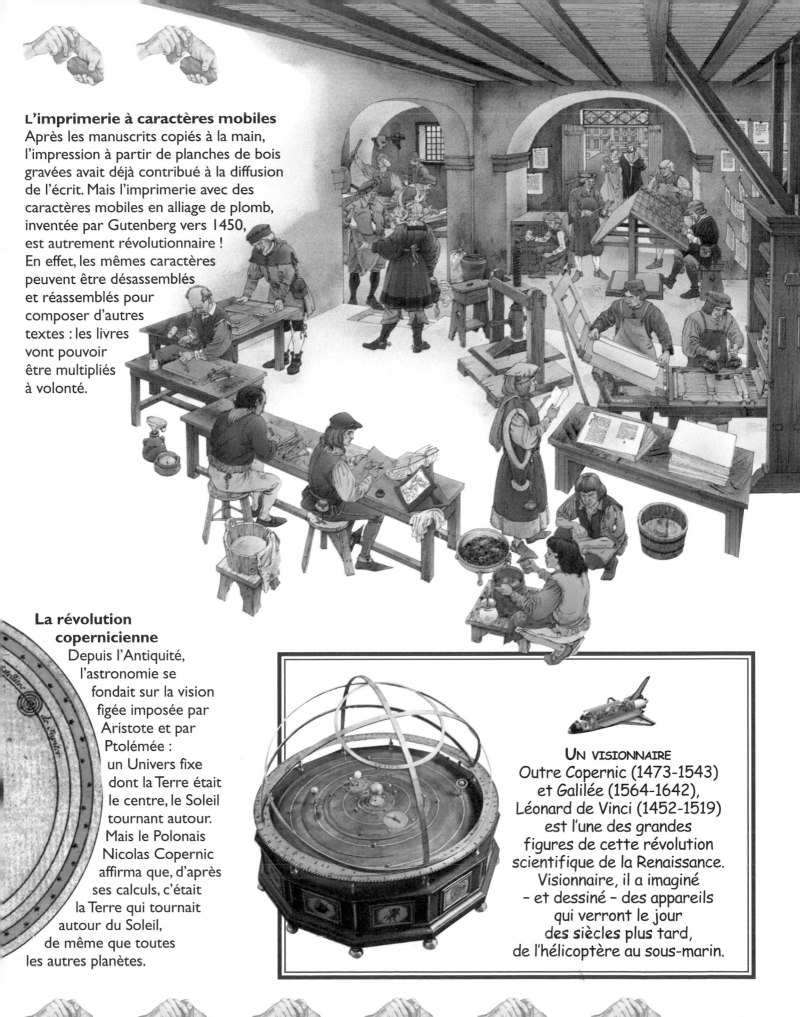

L'imprimerie à caractères mobiles

Après les manuscrits copiés à la main, l'impression à partir de planches de bois gravées avait déjà contribué à la diffusion de l'écrit. Mais l'imprimerie avec des caractères mobiles en alliage de plomb, inventée par Gutenberg vers 1450, est autrement révolutionnaire ! En effet, les mêmes caractères peuvent être désassemblés et réassemblés pour composer d'autres textes : les livres vont pouvoir être multipliés à volonté.

La révolution copernicienne

Depuis l'Antiquité, l'astronomie se fondait sur la vision figée imposée par Aristote et par Ptolémée : un Univers fixe dont la Terre était le centre, le Soleil tournant autour. Mais le Polonais Nicolas Copernic affirma que, d'après ses calculs, c'était la Terre qui tournait autour du Soleil, de même que toutes les autres planètes.

UN VISIONNAIRE
Outre Copernic (1473-1543) et Galilée (1564-1642), Léonard de Vinci (1452-1519) est l'une des grandes figures de cette révolution scientifique de la Renaissance. Visionnaire, il a imaginé – et dessiné – des appareils qui verront le jour des siècles plus tard, de l'hélicoptère au sous-marin.

LA RÉVOLUTION INDUSTRIELLE

Au cours du Moyen Âge et de la Renaissance, la technologie avait fait des progrès spectaculaires en Europe. Néanmoins, jusque vers 1750, l'économie reposait essentiellement sur l'agriculture et le commerce des objets de luxe, tandis que la production de biens de consommation restait complètement artisanale. C'est en Angleterre, au cours de la seconde moitié du XVIIIe siècle, que de nouveaux systèmes de production vont voir le jour, basés sur la mécanisation des tâches et la réduction des coûts du travail. Ateliers et usines se multiplient, attirant peu à peu la population des campagnes vers les centres urbains. Ainsi se créent dans les villes de nouveaux quartiers habités par les ouvriers.

Le fer
Dans les hauts-fourneaux, le minerai de fer est chauffé avec du coke, un charbon très pur et à haut pouvoir calorifique, obtenu par distillation, qui brûle sans laisser de cendres.

De la mine au chemin de fer
Poussés par des enfants (à cause de leur petite taille), des wagonnets emmènent des blocs de charbon jusqu'au puits central de la mine. Vers 1800, on prolongera les rails jusqu'aux hauts-fourneaux et on fera tirer les wagonnets par une locomotive à vapeur : le chemin de fer est né !

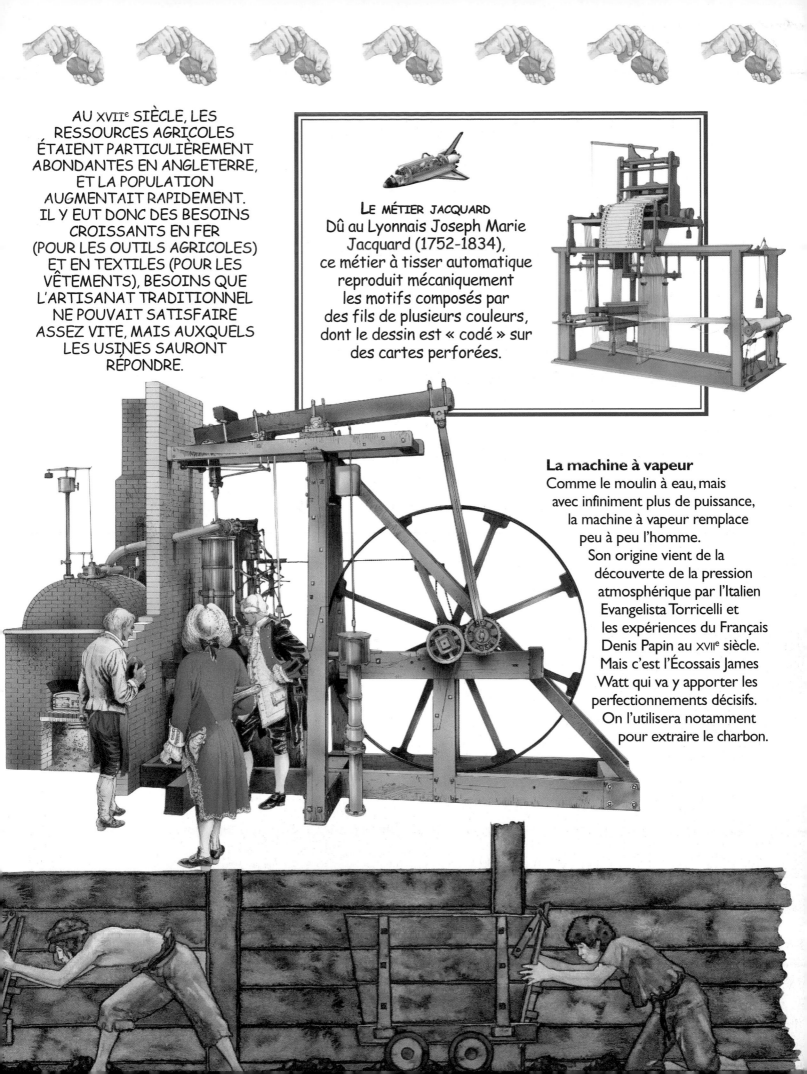

AU XVIIᵉ SIÈCLE, LES RESSOURCES AGRICOLES ÉTAIENT PARTICULIÈREMENT ABONDANTES EN ANGLETERRE, ET LA POPULATION AUGMENTAIT RAPIDEMENT. IL Y EUT DONC DES BESOINS CROISSANTS EN FER (POUR LES OUTILS AGRICOLES) ET EN TEXTILES (POUR LES VÊTEMENTS), BESOINS QUE L'ARTISANAT TRADITIONNEL NE POUVAIT SATISFAIRE ASSEZ VITE, MAIS AUXQUELS LES USINES SAURONT RÉPONDRE.

LE MÉTIER JACQUARD
Dû au Lyonnais Joseph Marie Jacquard (1752-1834), ce métier à tisser automatique reproduit mécaniquement les motifs composés par des fils de plusieurs couleurs, dont le dessin est « codé » sur des cartes perforées.

La machine à vapeur
Comme le moulin à eau, mais avec infiniment plus de puissance, la machine à vapeur remplace peu à peu l'homme.
Son origine vient de la découverte de la pression atmosphérique par l'Italien Evangelista Torricelli et les expériences du Français Denis Papin au XVIIᵉ siècle. Mais c'est l'Écossais James Watt qui va y apporter les perfectionnements décisifs. On l'utilisera notamment pour extraire le charbon.

LES TRANSPORTS

Pour fonctionner, les usines avaient besoin d'être régulièrement et rapidement approvisionnées en matières premières.
C'est pourquoi la révolution industrielle s'accompagna de celle des moyens de transport. Au cours du XIXe siècle, un réseau ferroviaire de plus en plus dense s'étendit sur l'Europe, les États-Unis et l'Inde. Sillonnant l'Atlantique, les paquebots à vapeur conduisaient en Amérique des millions d'immigrants. Mais déjà se préparait le règne de l'automobile et celui du moteur à explosion à combustion interne. Après les terres et les mers, c'est le tour du ciel. Là encore, les progrès sont très rapides : moins de 25 ans après « le saut de puce » des frères Wright, l'Américain Charles Lindbergh accomplit la traversée de l' Atlantique nord en 1927.

LA PREMIÈRE RÉVOLUTION DES MOYENS DE TRANSPORT AURA LIEU AU XIXe SIÈCLE : LES VOILIERS CÈDENT LA PLACE AUX BATEAUX À VAPEUR, D'ABORD À ROUES À AUBES, PUIS À HÉLICES. LE TRAIN, QUI À SES DÉBUTS ÉTAIT CONSIDÉRÉ PAR BEAUCOUP COMME UNE EXTRAVAGANCE VOUÉE À L'ÉCHEC, DEVIENT LE MOYEN DE TRANSPORT LE PLUS UTILISÉ.

Le chemin de fer
La première liaison ferroviaire eut lieu en 1830 en Angleterre, entre Liverpool et Manchester. Dès 1888, l'*Orient-Express* reliait Paris à Istanbul.

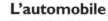

L'automobile
En 1886, l'Allemand Carl Benz inventa le moteur à explosion à essence qu'il installa sur un véhicule à trois roues. Mais la première vraie voiture « moderne », équipée d'un moteur de l'ingénieur allemand Gottlieb Daimler, fut conçue par les Français Panhard et Levassor en 1891.

Les débuts de l'aviation

Le 9 octobre 1890, dans le parc du château d'Armainvilliers, en Seine-et-Marne, Clément Ader, à qui l'on doit le mot avion, effectue un premier vol de quelque 20 centimètres au-dessus du sol sur une distance de 50 mètres environ : le décollage du « plus lourd que l'air » est réalisé pour la première fois au monde. Mais c'est aux frères Wright qu'il faut attribuer l'exploit, en 1903, des premiers vols de l'histoire.

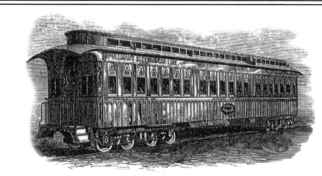

LE WAGON-LIT

C'est en 1859 que l'Américain George Pullman conçut le premier wagon-lit de l'histoire ferroviaire. L'apparition des voitures-lits et voitures-restaurants rendait possibles les très longs trajets, comme celui du *Transsibérien*.

Paquebots transatlantiques

Le *Royal William* effectua la traversée de l'Atlantique entièrement à vapeur, en 1831. Mais c'est en 1838 que, pour la première fois, des voyageurs purent naviguer sur un gigantesque paquebot de la compagnie anglaise Cunard.

L'ÂGE DE L'ACIER

Les grands magasins, « cathédrales » du commerce moderne, ont largement fait appel aux charpentes métalliques, qui permettent de dégager de vastes espaces intérieurs et de faire pénétrer la lumière par de larges verrières. La fonte moulée a permis de produire en série des sculptures, corniches et colonnes décoratives dans le goût très orné du second Empire. Dès le milieu du XIXe siècle, l'industrie sidérurgique était également en mesure de produire de grandes quantités d'acier, d'alliage de fer et de carbone, comme la fonte. À la fois plus léger, plus robuste et plus économique que le fer, l'acier l'a remplacé avantageusement pour les structures métalliques des gratte-ciel.

LES STRUCTURES MÉTALLIQUES ONT ÉGALEMENT RÉVOLUTIONNÉ LA CONCEPTION DES OUVRAGES D'ART TELS QUE VIADUCS ET PONTS. L'INGÉNIEUR FRANÇAIS GUSTAVE EIFFEL, QUI LAISSA SON NOM À SA CÉLÈBRE TOUR, EN A DONNÉ UNE PREUVE MAGISTRALE AVEC LE VIADUC DE GARABIT, DANS LE LOT.

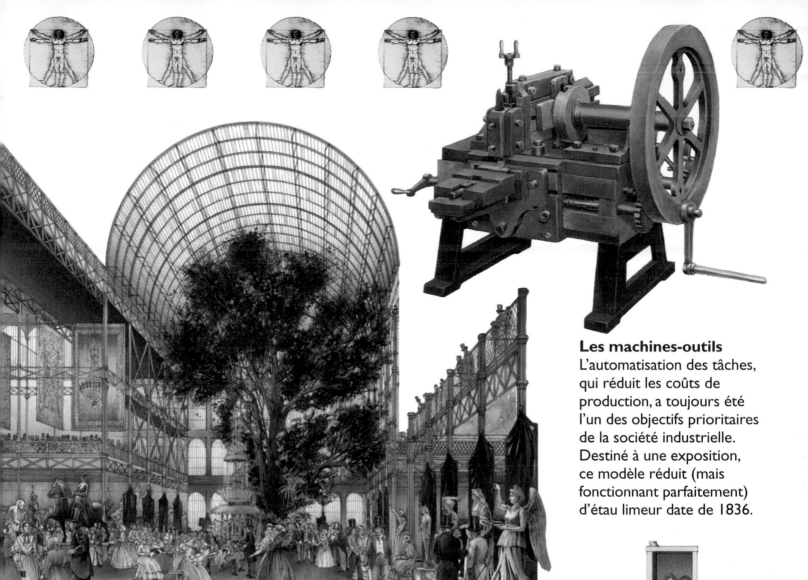

Les machines-outils

L'automatisation des tâches, qui réduit les coûts de production, a toujours été l'un des objectifs prioritaires de la société industrielle. Destiné à une exposition, ce modèle réduit (mais fonctionnant parfaitement) d'étau limeur date de 1836.

Crystal Palace

Ce bel édifice de verre et de métal fut le clou de l'Exposition universelle de 1851 à Londres. Démonté et transféré ensuite en banlieue, le Crystal Palace, transformé en parc d'attractions, fut détruit par un incendie en 1937.

La tour Eiffel

Le symbole de Paris reste la plus haute structure métallique du monde (presque 300 m de hauteur à l'origine, 324 m aujourd'hui). Érigée pour l'Exposition universelle de 1889, la tour devait être ensuite démontée, mais les Parisiens l'ont adoptée et n'ont pas voulu s'en séparer quand l'Exposition a fermé ses portes…

LES ASCENSEURS
Inventé en 1857 par l'ingénieur américain Elisha Otis, l'ascenseur a rendu possible la construction des gratte-ciel. Les premiers modèles étaient actionnés par un piston à vapeur.

LES VILLES

Au début du XVIIIe siècle, aucune ville au monde n'atteignait le million d'habitants. Avec la révolution industrielle, la croissance démographique s'accéléra et les villes s'agrandirent. La tendance s'accentua encore au XXe siècle : en 1900, les villes ne regroupaient que 3 % de la population mondiale, contre plus de 50 % en l'an 2001 ! Après l'éclairage, l'adduction d'eau (l'eau courante à tous les étages des immeubles) a été le grand chantier du début du XXe siècle. Les équipements urbains suivent les progrès de la technologie, notamment en matière d'économies d'énergie et de protection de l'environnement : tri et recyclage des ordures ménagères, chauffage urbain alimenté par les usines d'incinération, etc.

JUSQU'À LA FIN DU XVIIIe SIÈCLE, L'ÉCLAIRAGE URBAIN ÉTAIT RÉSERVÉ AUX TRÈS GRANDES VILLES – ET AUX RUES PRINCIPALES. AU XIXe SIÈCLE APPARURENT LES RÉVERBÈRES À GAZ, ALLUMÉS CHAQUE SOIR ET ÉTEINTS CHAQUE MATIN PAR UN EMPLOYÉ SPÉCIAL : L'ALLUMEUR DE RÉVERBÈRES. L'ÉLECTRIFICATION COMMENÇA, PROGRESSIVEMENT, VERS 1900. DANS LES ANNÉES 1950, LES AMPOULES ÉLECTRIQUES FURENT SOUVENT REMPLACÉES PAR DES NÉONS.

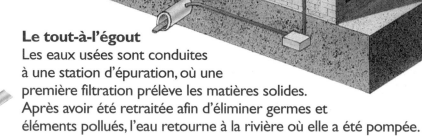

L'eau courante
À chaque robinet correspondent une conduite d'arrivée d'eau (parfois deux, pour l'eau chaude et l'eau froide) et un conduit d'évacuation, qui entraîne les eaux usées vers les égouts.

Le tout-à-l'égout
Les eaux usées sont conduites à une station d'épuration, où une première filtration prélève les matières solides. Après avoir été retraitée afin d'éliminer germes et éléments pollués, l'eau retourne à la rivière où elle a été pompée.

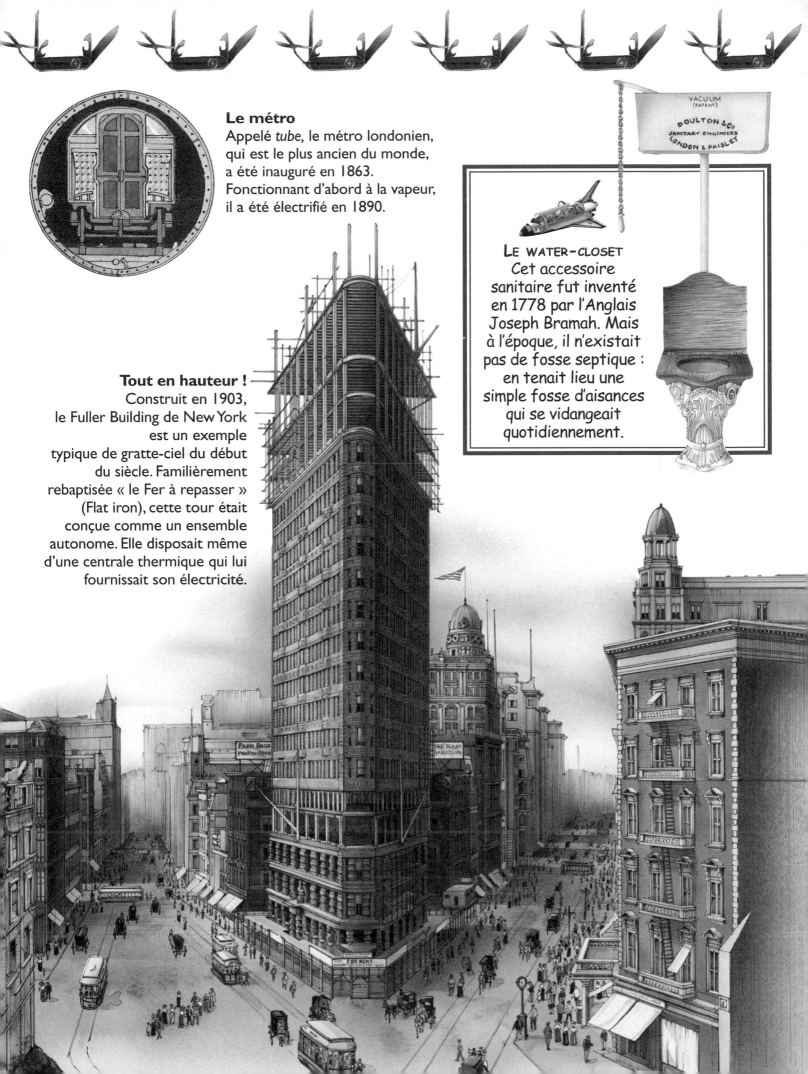

Le métro
Appelé *tube*, le métro londonien, qui est le plus ancien du monde, a été inauguré en 1863. Fonctionnant d'abord à la vapeur, il a été électrifié en 1890.

VACUUM
(PATENT)
POULTON & Co
SANITARY ENGINEERS
LONDON & PAISLEY

LE WATER-CLOSET
Cet accessoire sanitaire fut inventé en 1778 par l'Anglais Joseph Bramah. Mais à l'époque, il n'existait pas de fosse septique : en tenait lieu une simple fosse d'aisances qui se vidangeait quotidiennement.

Tout en hauteur !
Construit en 1903, le Fuller Building de New York est un exemple typique de gratte-ciel du début du siècle. Familièrement rebaptisée « le Fer à repasser » (Flat iron), cette tour était conçue comme un ensemble autonome. Elle disposait même d'une centrale thermique qui lui fournissait son électricité.

LE SIÈCLE DE LA TECHNIQUE

Le XXᵉ siècle a sans doute connu plus d'innovations que toutes les époques précédentes réunies, et ce sont précisément la science et la technologie qui sont à l'origine des mutations les plus importantes. Contrairement aux périodes du passé, les grandes découvertes ne sont plus le fait de quelques inventeurs de génie, mais bien plutôt l'aboutissement de recherches collectives et de programmes planifiés par de grandes organisations économiques et industrielles. Les efforts conjugués d'équipes de chercheurs ont ainsi permis d'atteindre des objectifs ambitieux, comme la conquête de l'espace. Mais cette conception de la science peut avoir aussi des côtés effrayants, comme par exemple le développement des armes.

LE XXᵉ SIÈCLE A VU NAÎTRE DES CONCEPTS RÉVOLUTIONNAIRES QUI SONT VENUS BOULEVERSER LES RÈGLES SCIENTIFIQUES CLASSIQUES : AINSI LA THÉORIE DE LA RELATIVITÉ DU TEMPS, DUE AU GRAND SAVANT ALLEMAND ALBERT EINSTEIN, OU BIEN LES EXPÉRIENCES DE CLONAGE FAITES SUR DES ANIMAUX.

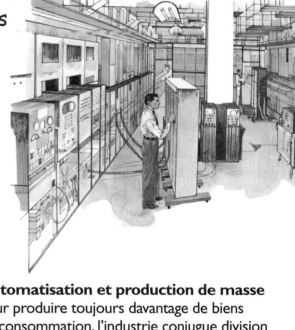

Automatisation et production de masse
Pour produire toujours davantage de biens de consommation, l'industrie conjugue division des tâches et automatisation : c'est le travail à la chaîne. Ici, la chaîne de montage de l'usine Ford de Detroit, (États-Unis) vers 1910.

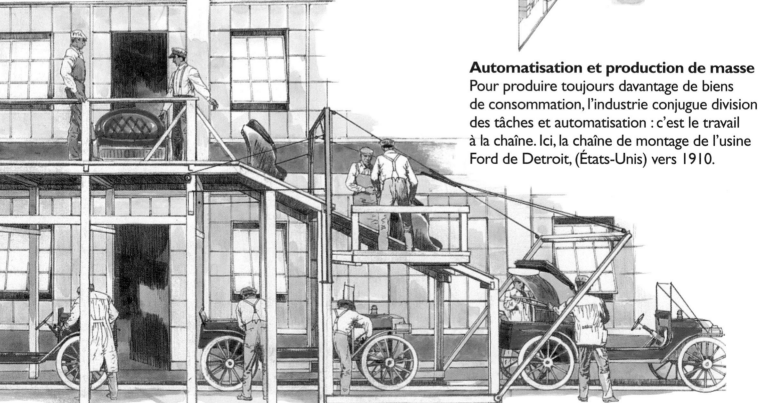

L'énergie nucléaire

Les recherches qui ont conduit à l'explosion de la première bombe atomique avaient aussi des buts plus pacifiques : l'énergie nucléaire a permis de répondre aux besoins en électricité, par exemple, à moindres coûts. Mais elle est loin d'être sans danger, comme l'a montré la catastrophe de la centrale de Tchernobyl, en Ukraine (1986).

Les nouveaux complexes urbains

Véritables villes dans la ville, ces centres abritent commerces, bureaux, services et rues intérieures.

L'ordinateur

C'est l'une des machines qui ont transformé la vie quotidienne des hommes, tant dans la vie professionnelle qu'à la maison.

LA CONQUÊTE SPATIALE

Le 20 juillet 1969, l'astronaute américain Neil Armstrong, commandant la mission Apollo 11, fut le premier homme à poser le pied sur la Lune. « C'est un petit pas pour l'homme et un grand pas pour l'humanité », a-t-il déclaré. Plusieurs autres missions lunaires auront lieu au cours des années suivantes.

LES GUERRES

Malgré les pas en avant accomplis par l'humanité, le XXᵉ siècle reste sans doute celui qui a vu les conflits mondiaux les plus sanglants. Les acquis scientifiques et technologiques ne sont d'ailleurs pas étrangers à ces bilans terrifiants : perfectionner une arme, c'est de fait la rendre plus meurtrière. Fort heureusement, les recherches effectuées à des fins militaires sont souvent appliquées à des domaines plus généraux : les rayons X, le radar, les satellites artificiels et même Internet... Le nucléaire lui-même a des applications pacifiques, sinon inoffensives. Depuis quelques décennies, l'hypothèse d'un conflit nucléaire devient peut-être moins envisageable, mais on assiste à un déploiement d'armes chimiques qui sont à peine moins terrifiantes – par exemple les défoliants employés au Vietnam.

LA RECHERCHE SCIENTIFIQUE A PROFONDÉMENT MODIFIÉ LA STRATÉGIE MILITAIRE : IL S'AGIT SURTOUT D'ÊTRE EN MESURE DE DEVANCER LES ATTAQUES DE L'ENNEMI EN LE FRAPPANT SUR DES POINTS NÉVRALGIQUES PRÉCIS, PLUTÔT QUE DE L'ANÉANTIR.

L'ypérite
Employé pour la première fois pendant la Première Guerre mondiale, ce gaz très corrosif, surnommé parfois « gaz moutarde », peut détruire irrémédiablement les poumons ou du moins laisser de graves séquelles respiratoires.

La guerre du Golfe

Au début de 1991, durant
la guerre contre l'Irak menée par la
communauté internationale, entraînée
par les États-Unis, des « bombes
intelligentes », capables de rechercher
et d'atteindre un objectif précis au
mètre près, furent méthodiquement
lancées sur le territoire irakien afin
de détruire son potentiel militaire.

Le radar

Cette méthode de détection
a totalement transformé la guerre
aérienne, où l'on peut dès lors
se battre sans voir son adversaire.
Le radar a été depuis adopté
par l'aviation civile et permet de se
diriger et d'atterrir sans visibilité.

LES FANTASSINS

Lors de la Première Guerre
mondiale, qui dura quatre ans
(août 1914-novembre 1918),
l'équipement du soldat avait
beaucoup changé par rapport
à la guerre franco-prussienne
de 1870 : il avait maintenant
un fusil à répétition à 15
coups, un masque à gaz
et pouvait aussi
transporter
un poste de radio
de campagne.

L'équilibre de la terreur

Alliés la veille, ennemis le lendemain, Américains
et Soviétiques ont chacun de leur côté mis au point
la bombe à hydrogène (la fameuse bombe H) dans les
années 1950. Aujourd'hui, les puissants missiles
sont en mesure de la faire exploser
sur n'importe quel point du globe.
Mais en cas d'attaque nucléaire,
les avions-espions avertissent aussitôt
l'ennemi, qui a le temps de riposter avant
d'être détruit… L'arme nucléaire peut
dans ce cas jouer le rôle d'une force de dissuasion.

LES TÉLÉCOMMUNICATIONS

La radio est née au début du XXe siècle et n'a pas tardé à devenir l'un des médias les plus influents de notre temps, tant sur le plan politique, que culturel ou économique – peut-être même plus importante que la presse –, car entrant plus facilement dans toutes les maisons. Quant aux premières transmissions télévisées, elles ont eu lieu dans les années 1930, mais elles ont gardé un caractère expérimental jusqu'à la fin de la Seconde Guerre mondiale. L'apparition de la télévision en couleurs, dans les années 1970, va élargir son audience. Après la télécommande, la grande nouveauté viendra de la télévision interactive, qui permettra à chacun de composer ses programmes en puisant dans de gigantesques archives.

DE NOMBREUSES TECHNOLOGIES DÉVELOPPÉES POUR LA CONQUÊTE DE L'ESPACE ONT EU DES APPLICATIONS DIRECTES DANS LE DOMAINE DES TÉLÉCOMMUNICATIONS. C'EST LE CAS DES SATELLITES PRÉSENTS DANS L'ESPACE, QUI RELAYENT COMMUNICATIONS TÉLÉPHONIQUES ET CHAÎNES DE TÉLÉVISION.

Le satellite
Recevant les signaux envoyés par une station qui émet de la Terre, il les amplifie et les retransmet vers une autre antenne parabolique.

La radio

En 1901, Guglielmo Marconi (page ci-contre) a réalisé la première liaison radio transatlantique.
Cinq ans plus tard, Reginald Fessenden réussissait à transmettre, à plusieurs centaines de kilomètres de distance, et à élaborer le principe du sonar.

LA TÉLÉVISION

Malgré leur écran minuscule et leur image de mauvaise qualité, les premiers postes de télévision étaient énormes, car leurs composants électroniques tenaient beaucoup de place. De plus, leurs lampes grillaient fréquemment.

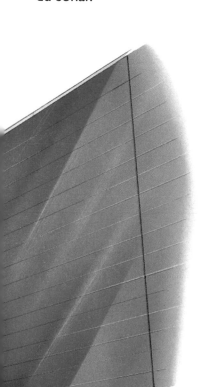

Pour toute la planète

La première émission de télévision en mondovision en direct entre deux continents (l'Amérique et l'Europe), relayée par le satellite artificiel Telstar, eut lieu le 10 juillet 1962.

L'ÉLECTRONIQUE

L'électronique est une science encore jeune, qui ne remonte guère qu'à une soixantaine d'années. Dans un ordinateur, les variations de courant produites par la pression des doigts sur les touches finissent par activer la force qui enregistre sur le disque. C'est cette manière de produire de l'énergie en chaîne qui rend les machines électroniques capables de tâches et d'analyses plus complexes que les actions fixes et répétitives exécutées par les machines électriques. La grande révolution électronique reste l'ordinateur, capable d'accomplir en un éclair des actions multiples, qui libère ainsi l'homme d'un certain nombre de tâches fastidieuses.

UNE MACHINE EST DITE ÉLECTRONIQUE SI SES ÉLECTRONS LIBRES DÉTECTENT ET PROPAGENT DES COURANTS ÉLECTROMAGNÉTIQUES. AUTREMENT DIT, SI ELLE FONCTIONNE COMME UNE CHAÎNE D'ÉNERGIE ÉLECTRIQUE. LES APPAREILS ÉLECTRONIQUES ÉTAIENT D'ABORD ÉQUIPÉS DE DIODES (LAMPES) OU DE TUBES, QUI FURENT REMPLACÉS PAR DES TRANSISTORS, PUIS PAR DES « PUCES », CIRCUITS INTÉGRÉS DE PLUS EN PLUS MINUSCULES.

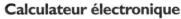

Calculateur électronique
Le premier ordinateur fut fabriqué à la fin de la Seconde Guerre mondiale pour l'armée américaine, qui voulait lui faire effectuer des calculs. C'est en 1956 qu'est inventé le terme français « ordinateur » pour traduire le « data processing machine » anglais. À cette époque ces appareils étaient volumineux et encombrants.

Le règne du micro-ordinateur
La mise au point des « puces », minuscules circuits intégrés, fut décisive pour le succès de l'ordinateur, dont les dimensions purent ainsi être réduites.

Une nouvelle génération

Depuis une dizaine d'années, l'ordinateur n'est plus seulement un assistant dans le travail, c'est aussi un support de jeu et d'information. Hier austère et rébarbatif dans sa forme, il est devenu un outil convivial et coloré.

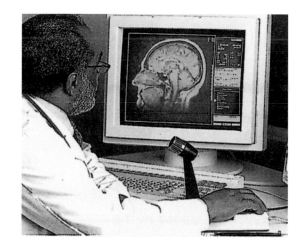

LE RÉSEAU

La première liaison entre deux ordinateurs a été effectuée à Los Angeles en 1969. Le réseau s'est ensuite étendu aux ordinateurs des bases militaires, puis à ceux de toutes les universités américaines et des instituts de recherche scientifique.

Internet

Les années 1990 ont été marquées par l'explosion du phénomène Internet : gigantesque réseau de communications résultant de l'interconnexion de millions d'utilisateurs.

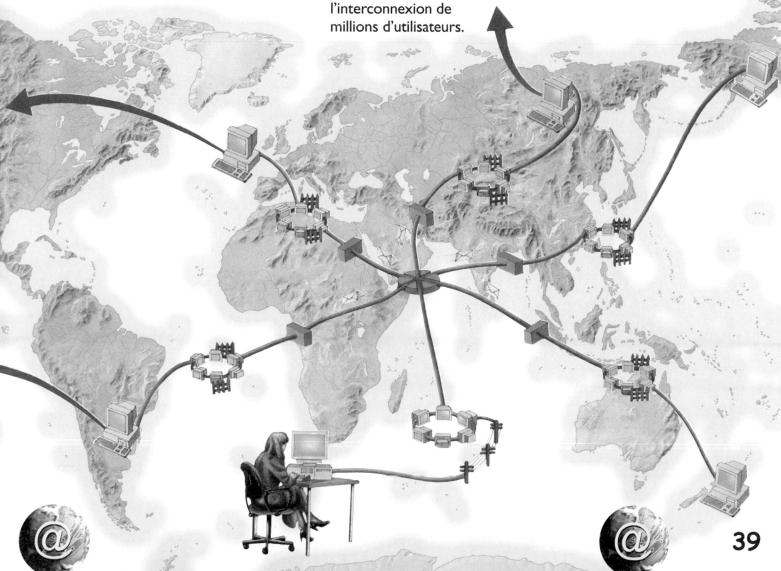

LA SANTÉ

Au XXe siècle, la pharmacopée (l'ensemble des médicaments) a fait des progrès remarquables, liés à ceux de l'industrie chimique dans son ensemble. Après avoir identifié les agents pathogènes (qui transmettent la maladie), qu'il s'agisse de microbes, de virus ou de bactéries, on a cherché à immuniser les personnes exposées grâce aux vaccinations, ou encore à neutraliser l'action des germes infectieux si la maladie était déjà déclarée. Mise au point en 1928 par Alexander Fleming, la pénicilline, commercialisée dans les années 1940, a sauvé la vie de millions de personnes. Cependant, virus et microbes se défendent : par des mutations successives, ils s'immunisent à leur tour contre les produits employés contre eux et n'en deviennent que plus dangereux.

L'HOMME S'EST TOUJOURS EFFORCÉ DE GUÉRIR LES MALADIES. MAIS LES SCIENCES MÉDICALES MODERNES TENDENT DAVANTAGE À ANALYSER LES CAUSES DE LA MALADIE ET À PRÉVENIR SON APPARITION QU'À EN SOIGNER LES SYMPTÔMES. LES VACCINATIONS, INAUGURÉES À LA FIN DU XIXe SIÈCLE, PROCÈDENT DE LA MÊME DÉMARCHE QUE LES INTERVENTIONS SUR LES GÈNES, QUE CERTAINS DÉNONCENT COMME DE DANGEREUSES MANIPULATIONS.

Le clonage
En 1998, la brebis Dolly a été le premier être vivant cloné, c'est-à-dire reproduit à l'identique à partir d'un gène d'un sujet adulte. Cet exploit du génie génétique (ainsi appelle-t-on cette branche de la science) a toutefois soulevé de vigoureuses contestations.

Les campagnes de vaccinations
Les pays du tiers-monde sont encore touchés – du fait de la pauvreté et des mauvaises conditions de vie – par des maladies qui n'existent plus dans les pays riches. Une campagne de vaccination massive est alors le moyen le plus efficace de lutter contre l'épidémie.

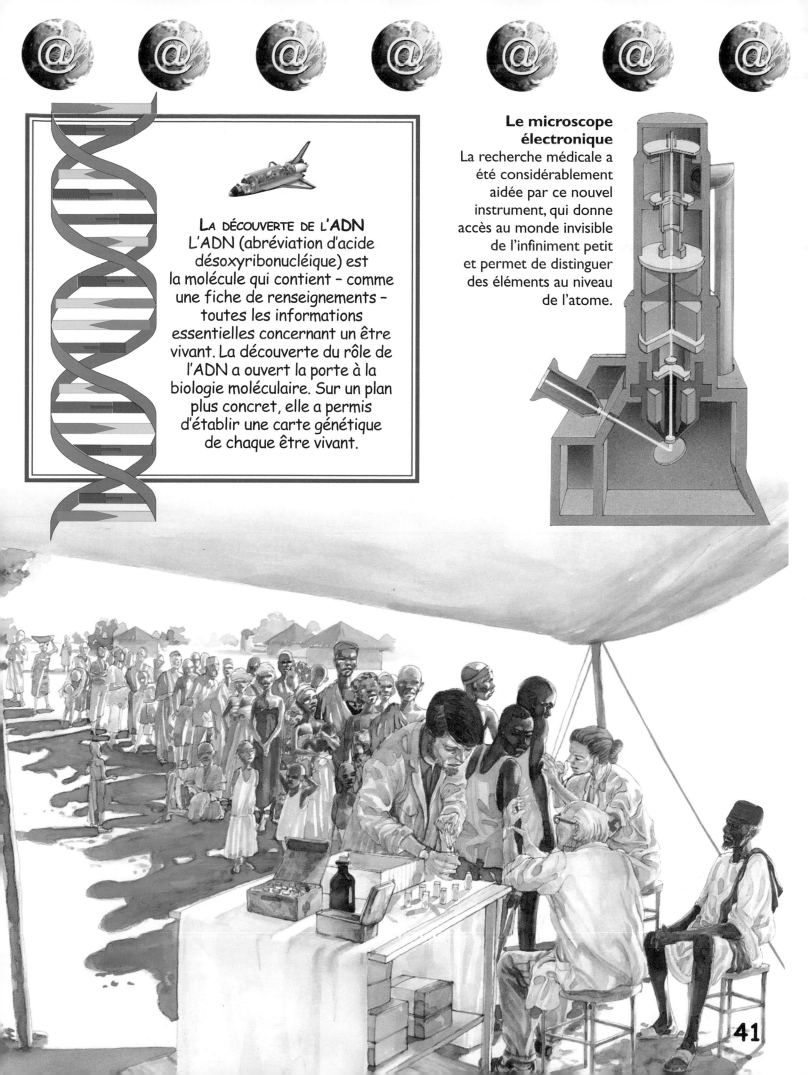

La découverte de l'ADN
L'ADN (abréviation d'acide désoxyribonucléique) est la molécule qui contient – comme une fiche de renseignements – toutes les informations essentielles concernant un être vivant. La découverte du rôle de l'ADN a ouvert la porte à la biologie moléculaire. Sur un plan plus concret, elle a permis d'établir une carte génétique de chaque être vivant.

Le microscope électronique
La recherche médicale a été considérablement aidée par ce nouvel instrument, qui donne accès au monde invisible de l'infiniment petit et permet de distinguer des éléments au niveau de l'atome.

41

INDEX

9,95 $

LES GRANDES INVENTIONS

Les outils (p. 6)
Voilà au moins 2 millions et demi d'années, nos ancêtres ont fabriqué les premiers objets manufacturés en entrechoquant deux pierres pour en détacher des éclats.

L'araire (p. 9)
Remplaçant le simple bâton avec lequel les premiers agriculteurs creusaient la terre pour y enfouir des graines, l'araire en bois a permis d'aérer les sols et de faire de vraies semailles.

La roue (p. 11)
Il y a plus de 6000 ans que les hommes ont compris tout l'intérêt du mouvement rotatif. Apparues en Mésopotamie vers l'an 3500 avant notre ère, les premières roues actionnaient les tours des potiers.

La poudre à canon (p. 14)
Pour les Chinois qui l'inventèrent au IXe siècle, la poudre n'était qu'un accessoire pour les fêtes (elle servait aux feux d'artifice). C'est par son usage militaire qu'elle allait littéralement changer la face du monde.

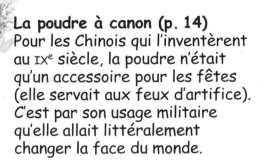

L'histoire des inventions est l'histoire même de l'homme. Toutes n'ont pas eu le même retentissement : certaines ont simplement contribué à améliorer la qualité de la vie ; d'autres, comme celles qui sont citées ici, ont eu une importance capitale et ont radicalement modifié les comportements et les mentalités. Si l'on considère toute l'histoire de l'humanité, les deux cents dernières années ont été les plus fécondes sur le plan des innovations technologiques.

La caravelle (p. 21)
Ce haut vaisseau à trois mâts allait permettre aux navigateurs européens d'affronter les océans aux XVe et XVIe siècles. C'est à bord de trois caravelles que l'expédition commandée par Christophe Colomb découvrit le continent américain en 1492.